CW00394685

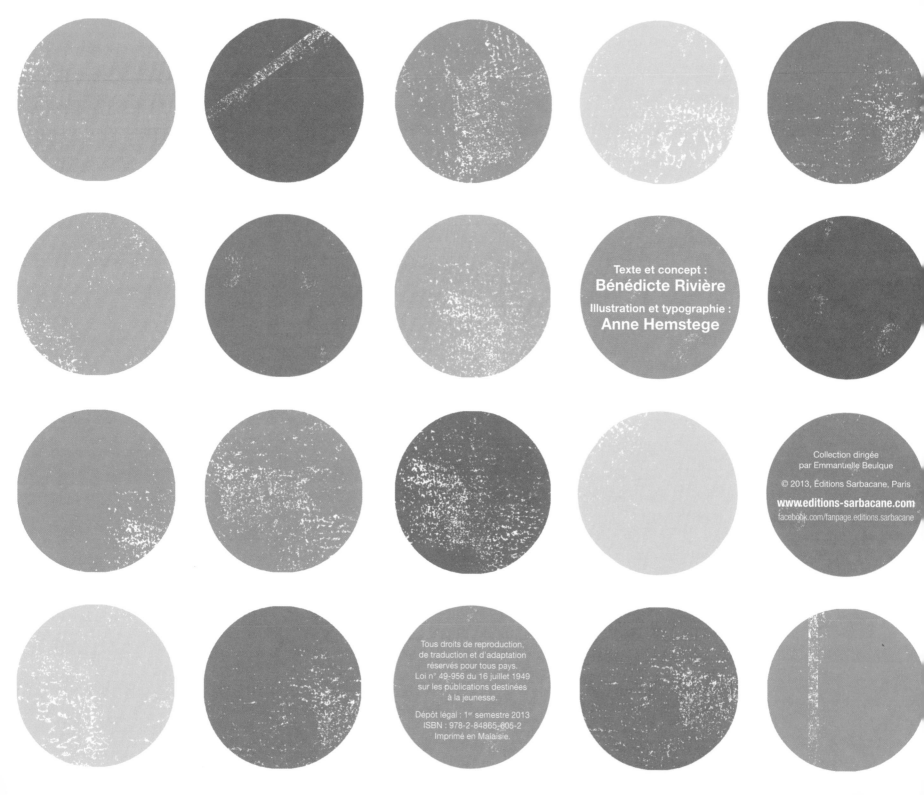

Texte et concept :
Bénédicte Rivière

Illustration et typographie :
Anne Hemstege

Collection dirigée
par Emmanuelle Beulque

© 2013, Éditions Sarbacane, Paris

www.editions-sarbacane.com
facebook.com/fanpage.editions.sarbacane

Tous droits de reproduction,
de traduction et d'adaptation
réservés pour tous pays.
Loi n° 49-956 du 16 juillet 1949
sur les publications destinées
à la jeunesse.

Dépôt légal : 1er semestre 2013
ISBN : 978-2-84865-605-2
Imprimé en Malaisie.

UN
POINT
C'EST
TOUT.

HÉ ! JE SUIS LÀ !

NON PAS LÀ...

NI LÀ.

NI LÀ NON PLUS !

REGARDE PLUS PRÈS.

ENCORE PLUS PRÈS.

VOILÀ, C'EST MOI !

JE SUIS UN POINT.

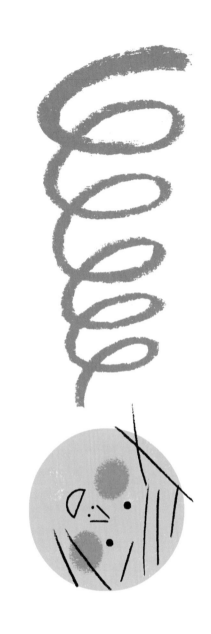

QUAND JE SUIS CONTENT OU ÉNERVÉ,
JE FAIS DES BONDS !

JE DEVİENS POİNT D'EXCLAMATİON.

QUAND JE NE COMPRENDS PAS,
JE TOURNE EN ROND.

JE DEVIENS POINT D'INTERROGATION.

QUAND JE SUIS FATIGUÉ, JE ME REPOSE
ET JE LAISSE PENDRE MES JAMBES.

JE DEVIENS VIRGULE.

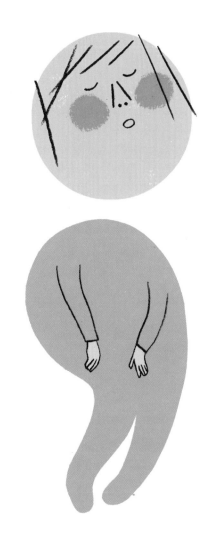

QUAND JE SUIS TRÈS FATIGUÉ,
JE ME REPOSE PLUS LONGTEMPS
ET JE LAISSE MES JAMBES TOMBER.

JE DEVIENS POINT-VIRGULE.

QUAND JE PRENDS LA PAROLE,
JE PARLE D'UN SEUL TRAIT.

JE DEVIENS TIRET.

COUCOU !

COUCOU !

QUAND J'ANNONCE QUELQUE CHOSE
OU QUE QUELQU'UN VA PARLER,
JE NE SUIS PLUS SEUL.

JE DEVIENS DEUX-POINTS.

QUAND JE VEUX METTRE QUELQU'UN
EN VALEUR, QUE JE LE FAIS PARLER,
JE LUI OUVRE MON CŒUR.

JE DEVIENS GUILLEMETS.

QUAND JE VEUX M'ISOLER, JE M'EFFACE.